D1114370

Madame
TÊTUE

Collection MADAME

Mr. Men   Little Miss

Madame
TÊTUE

Roger Hargreaves

hachette
JEUNESSE

Madame Têtue l'était vraiment.

Elle était vraiment quoi?

Elle était vraiment petite,
vraiment mignonne
et vraiment têtue, évidemment.

Quand elle avait décidé de sortir,
elle sortait.

Même s'il pleuvait à torrents!

Un dimanche où il ne pleuvait pas,
elle décida d'aller en autobus
chez monsieur Costaud.

Pourquoi ?

Parce qu'elle avait envie
de manger des œufs !

Et elle savait que chez monsieur Costaud
il y en avait toujours beaucoup.

Alors que le bus arrivait,
monsieur Curieux vint à passer.

Curieux comme il l'était,
il ne put s'empêcher de demander :

– Où allez-vous, madame Têtue ?

– Chez monsieur Costaud, dit-elle.

– Mais cet autobus-là ne mène pas chez lui !

– Que si !

– Que non !

– Que si ! s'entêta-t-elle.

Et elle prit cet autobus-là.
Et ce qui devait arriver arriva.

Elle se retrouva,
non pas chez monsieur Costaud,
mais en Glaçonie,
un pays où il fait si froid
que tout le monde est enrhumé
à longueur d'année.

— Quel charmant pays ! pensa madame Têtue.
Ce froid rafraîchit les idées !

Mais elle grelottait.

Pour se réchauffer,
elle courut sur le chemin.

— ATCHOUM! éternua soudain quelqu'un.

C'était monsieur Atchoum.
— Ma petite dame... ajouta-t-il,
ATCHOUM! Ne prenez pas... ATCHOUM!
ce chemin-là. ATCHOUM!

— Si, je le prendrai! affirma madame Têtue.

— Mais il est dangereux! AT... TENTION!

— Et après? lança madame Têtue.

Et elle prit ce chemin-là.
Et ce qui devait arriver arriva.

ZIIIIIIIIIIP !

Elle fit la plus belle glissade de sa vie
sur le chemin verglacé.

— C'est rigolo ! dit-elle en se relevant.
Mais elle avait mal au derrière !
Tiens, je vais aller de ce côté-ci
plutôt que de ce côté-là,
ajouta-t-elle.

— Vous avez tort ! lui dit un ver de terre
en surgissant d'un champ de neige.
Ce côté-ci est très risqué.

— Et après ? s'écria madame Têtue.
Quand j'ai décidé une chose,
je m'y tiens ! Non mais !

Et elle partit de ce côté-ci.

Elle n'eut pas tout à fait raison
car ce qui devait arriver arriva.

Une avalanche de boules de neige!

L'une des boules de neige roula, roula.

Et, à l'intérieur,
madame Têtue roula aussi.

La boule de neige finit par s'arrêter
dans un autre pays et fondit.

Madame Têtue se retrouva debout,
toute mouillée,
devant la porte de monsieur Costaud.

Elle avait eu de la chance,
n'est-ce pas ?

— Mais vous êtes toute mouillée !
lui dit monsieur Costaud.
Venez vite vous sécher !

— Pas question ! répondit-elle.
Je n'ai pas le temps !
Il faut que je mange des œufs,
et tout de suite !

— Ce n'est guère raisonnable,
soupira monsieur Costaud.

— Si, ça l'est ! s'entêta madame Têtue.

Toujours mouillée,
elle courut à la cuisine de monsieur Costaud.

Sans lui demander son avis,
elle prit des œufs.

Des douzaines d'œufs.

— Ce n'est vraiment pas raisonnable !
soupira monsieur Costaud.

— Si, ça l'est ! s'obstina madame Têtue.

Avec tous ces œufs,
elle fit une énorme omelette.

Une gigantesque omelette.

La preuve :

elle ne tient pas sur la page !

Ensuite, elle commença à manger
son énorme, sa gigantesque omelette.

Puis elle continua
et monsieur Costaud s'inquiéta :

— Vous allez être malade, dit-il.

— Absolument pas ! répondit-elle.

Et ce qui devait arriver arriva !

Elle finit son énorme,
sa gigantesque omelette.

Puis elle dit en souriant:

— J'ai encore faim!

RÉUNIS VITE LA COLLECTION ENTIÈRE

1	2	3	4	5	6	7	8
MME AUTORITAIRE	MME TÊTE-EN-L'AIR	MME RANGE-TOUT	MME CATASTROPHE	MME ACROBATE	MME MAGIE	MME PROPRETTE	MME INDÉCIS
9	10	11	12	13	14	15	16
MME PETITE	MME TOUT-VA-BIEN	MME TINTAMARRE	MME TIMIDE	MME BOUTE-EN-TRAIN	MME CANAILLE	MME BEAUTÉ	MME SAGI
17	18	19	20	21	22	23	24
MME DOUBLE	MME JE-SAIS-TOUT	MME CHANCE	MME PRUDENTE	MME BOULOT	MME GÉNIALE	MME OUI	MME POUR
25	26	27	28	29	30	31	32
MME COQUETTE	MME CONTRAIRE	MME TÊTUE	MME EN RETARD	MME BAVARDE	MME FOLLETTE	MME BONHEUR	MME VEDE

33	34	35	36	37	38	39	40

| MME VITE-FAIT | MME CASSE-PIEDS | MME DODUE | MME RISETTE | MME CHIPIE | MME FARCEUSE | MME MALCHANCE | MME TERRE |

DES **MONSIEUR MADAME**

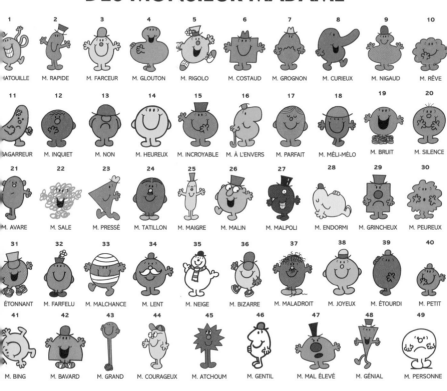

1 ...ATOUILLE
2 M. RAPIDE
3 M. FARCEUR
4 M. GLOUTON
5 M. RIGOLO
6 M. COSTAUD
7 M. GROGNON
8 M. CURIEUX
9 M. NIGAUD
10 M. RÊVE

11 ...BAGARREUR
12 M. INQUIET
13 M. NON
14 M. HEUREUX
15 M. INCROYABLE
16 M. À L'ENVERS
17 M. PARFAIT
18 M. MÉLI-MÉLO
19 M. BRUIT
20 M. SILENCE

21 M. AVARE
22 M. SALE
23 M. PRESSÉ
24 M. TATILLON
25 M. MAIGRE
26 M. MALIN
27 M. MALPOLI
28 M. ENDORMI
29 M. GRINCHEUX
30 M. PEUREUX

31 ...ÉTONNANT
32 M. FARFELU
33 M. MALCHANCE
34 M. LENT
35 M. NEIGE
36 M. BIZARRE
37 M. MALADROIT
38 M. JOYEUX
39 M. ÉTOURDI
40 M. PETIT

41 M. BING
42 M. BAVARD
43 M. GRAND
44 M. COURAGEUX
45 M. ATCHOUM
46 M. GENTIL
47 M. MAL ÉLEVÉ
48 M. GÉNIAL
49 M. PERSONNE

ISBN : 978-2-01-224831-1
Loi n° 49-956 du 16 juillet 1949 sur les publications destinées à la jeunesse.
Imprimé et relié en France par I.M.E.